CW00403519

Tout feu tout flamme

Luce Lefebvre-Goldmann

Tout feu tout flamme

Recueil

LE LYS BLEU
ÉDITIONS

© Lys Bleu Éditions – Luce Lefebvre-Goldmann

ISBN : 979-10-377-6178-1

Le code de la propriété intellectuelle n'autorisant aux termes des paragraphes 2 et 3 de l'article L.122-5, d'une part, que les copies ou reproductions strictement réservées à l'usage privé du copiste et non destinées à une utilisation collective et, d'autre part, sous réserve du nom de l'auteur et de la source, que les analyses et les courtes citations justifiées par le caractère critique, polémique, pédagogique, scientifique ou d'information, toute représentation ou reproduction intégrale ou partielle, faite sans le consentement de l'auteur ou de ses ayants droit ou ayants cause, est illicite (article L.122-4). Cette représentation ou reproduction, par quelque procédé que ce soit, constituerait donc une contrefaçon sanctionnée par les articles L.335-2 et suivants du Code de la propriété intellectuelle.

Une espèce de déperdition constante du niveau normal de la réalité.

Antonin Artaud

Préface

Je dois une confession au lecteur de cette préface. Une chose bien simple, presque banale, essentielle pourtant. Luce est mon amie.

Luce est mon amie, je connais donc ses mots, je les connais dedans ma chair et quand je la lis j'entends sa voix, la vraie-en-moi, qui souvent m'a dit et parfois m'a chanté, parlé-chanté, nombre des poèmes qui sont ici à vous confiés, à vous jetés, hors de leur nid, prêts à s'envoler vers le grand monde. Ils sont mûrs. Ils sont prêts. Prêts à produire des effets réels, des voix réelles qui la liront dans des têtes réelles, de nouvelles voix peut-être, aussi, de nouveaux mots, mots-pollen, mots-courage, mots-ouragan, mots.

Ceux-là, ceux devant lesquels je m'effacerai bientôt, le plus vite possible, moi et mon désir de dire quelque chose de sensé, de véridique, mais quelle drôle d'envie, n'est-ce pas ? J'y tiens, pourtant. Je tiens à tenter ma chance, à tenter le coup. Le prétexte en vaut la peine, ou la chandelle.

Je tiens à jeter le dé du mot.

Ces mots – crois-en ma parole, lecteur, fais au moins semblant d'y croire, permets-moi de t'en prier, un vrai-semblant me suffit amplement – ceux-là, donc, ces mots-là furent longuement médités, portés, ressassés, ils ont hanté, bercé, consolé, grandi leur auteur. Ou bien tout poème est-il l'auteur de son poète ? Vain mot. Auteur veut dire, en latin, littéralement, « ce qui accroît ». Faisons semblant d'y songer. Plissons légèrement l'interstice entre nos deux yeux et réfléchissons.

Savez-vous ce que sont les mots pour les poètes ? Ils ne sont rien. Ils ne prétendent rien être. C'est pourquoi ils sont la seule chose qui compte, la seule chose honnête.

Ces mots ne sont déjà plus à elle, pas plus que l'incendie n'est à la forêt, ni à ses auditeurs et ses auditrices d'une nuit ou d'une heure perdue – les seules qui vaillent –, mais à tous, au grand lecteur, à toi, lecteur, « Hypocrite lecteur, mon ami, mon frère » disait Baudelaire, cet autre tresseur de mots, cet autre ouvrier de l'hypertexte, moderne à sa façon, poète à sa façon.

Luce est poète. *Poiesis*, en grec, pardonne mon savoir, lecteur, poiesis voulait dire à l'origine « agir, mettre au-dehors, mener vers ». Le poète ne sait rien. Il danse. Le vide, la vie, l'Humain, ce que vous voudrez. Luce est poète, quoiqu'il en soit, quoiqu'il arrive. Nul, je crois, n'en pourra douter. Vous avez sous les yeux le fruit de sa danse, son mouvement intime et sa lutte. Sa trace dans le langage. Un bout de son héritage, le don qu'elle a fait d'elle-même. Un défi lancé à l'immobilité.

Luce est mon amie. Elle est aussi, je le pense profondément, une force de la nature, au même titre que le vent, la pluie, l'amour, la guerre. Elle est une guerre et un amour. Un amour de guerre. Une guerre d'amour. Nous jouons-nous des mots ? Certes oui, nous en jouons. Et quel jeu que celui-là ?

Elle laisse une trace, inévitablement, dans le cœur de qui la croise, dans le repli des matières grises, au détour d'une soirée sans fin, d'un matin qui est une nuit qui n'a pas voulu finir. Car en finir avec la nuit, voilà qui n'est pas si facile, voilà ce à quoi, parfois, on se refuse. Vous, moi, elle.

Jetons une dernière question à la mer, à la minuit, peut-être, ou bien en plein jour, à l'heure de l'ombre la plus courte.

Qu'est-ce que la substance ? À la lire, à la connaître, qu'il nous soit permis de croire que Luce

Lefebvre-Goldmann en sait quelque chose. Un autre poète-penseur, avant elle, se posait la question : un vieux sage que l'on nommait l'Obscur, Héraclite l'obscur. Celui-ci répondait, voici vingt-cinq siècles et des poussières : la substance est feu. Luce, pourtant si limpide, nous dit-elle autre chose ? N'est-ce pas ici la même révélation qui habite ces deux penseurs – car Luce pense, en plus d'écrire, à n'en point douter, trop peut-être, ce pour quoi il y faut un remède. Le feu. Feu dont on brûle et qui nous brûle en retour, encore et encore, jusqu'à ce que le vide ainsi fait, par brûlis, comme on dit, laisse place à la pousse nouvelle. Tel est du moins l'espoir.

Qu'est-ce que la substance, la molécule ? Écoutons avec nos deux oreilles, une pour chaque rive du sens. Atome ou MDMA. Le monde est fait d'atomes et de MDMA. Voilà peut-être la confusion qui hante une certaine jeunesse, un certain espoir-désespéré qui s'empare du « drogué », disons le mot, osons le terme. Mais les termes sont ou bien trop grands ou bien trop petits pour dire le réel, le réel qui précisément n'en a pas, de terme, qui fuit la fin ou dont la fin nous échappe. Ou alors dirons-nous le Révolté ? L'Insatisfait ? L'Inquiet ? Le Parasite ? Celui à qui tout ce qui est, tel que cela est, paraît vide, vain, insuffisant et qui, alors, par souci immense de vivre, puisqu'il le faut, puisqu'il est ainsi fait – quoiqu'il se moque de tout, mais souvent avec amour

– tente de reconquérir une plénitude par la substance. Ce mot est ancien, lui aussi. Il a un poids, un poids énorme, excessif, absolu. On peut dire qu'il désigne l'être, ce qui est. D'aucuns, se voulant objectifs, le diraient fait de molécules. Il est le substrat, ce qui nous résiste, ce qui est sous notre main, ce qui est notre appui. La terre ferme.

Mais si tout fuit de cette matière, de toutes les façons, si tout s'écroule et s'oublie, si des eaux toujours nouvelles nous emportent en leur flux, surgit alors un besoin de plus, un vif désir d'excès sur le fluide, la pulsion pour une autre substance, un tant soit peu stable, une autre molécule, dont on espère un contact, enfin, avec ce qui subsiste, ce qui dure.

Une illusion désirée, un « paradis artificiel » choisi en conscience par ceux qui trouvent que c'est le monde qui est, de toute façon, le pire artifice. Le monde mondain, celui dont on constate amèrement l'inauthenticité. Celui dont on perd jusqu'à l'envie de dire à quel point il nous consterne et nous afflige.

N'est-ce pas ? N'est-ce pas que cela paraît ainsi, parfois, ami lecteur ? Que ce soit au drogué ou à n'importe qui d'autre, d'ailleurs. À Luce Lefebvre-Goldmann peut-être un peu plus qu'à d'autres. (Nous disons bien peut-être, et loin de nous la folie qu'il y a à ignorer les insondables ressources de tout « peut-être ».) Or, que la vérité soit malicieusement insaisissable est une réalité qui n'échappe à personne, du moins faisons-nous tous un jour ou l'autre l'expérience d'une telle échappée.

Ce que fait le poète, ce que fait Luce avec une maîtrise à mon sens inouïe, c'est de dire cette fuite. De fuir avec elle, plus vite qu'elle s'il le faut, par une sorte d'incorporation impossible, d'irrattrapable écho. De faire en fuyant comme un éloge de cet envol même. Il me semble en tout cas à moi, parfois, qu'il est l'arc bandé d'où toute flèche, à la fois potentiellement et actuellement, fuse. Peut-être si infiniment vite que la vérité nue, un instant, encapsulée dans le mot juste, au détour d'une rime juste, d'une maladresse juste, qui l'arrime, la révèle (comme la bougie révèle sur le papier des mots écrits avec du jus de citron), un insoutenable fragment de seconde, comme une larme sur une robe bientôt sèche, un accident, simple, presque immobile, dans un rétroviseur qui ne s'arrête pas, éternellement quotidienne et digne du partage entre nous autres, êtres de langages, de gestes et de désirs, capables de nous comprendre dans notre hébétude même, dans la vanité même de notre passage sûr.

Demeurent les mots.
Obstinément.

Ils persistent comme persisteront ceux que tu t'apprêtes à lire, œil et voix, visage et cœur, ils perdureront comme ont perduré ceux-là, derrière l'antiquité ombrageuse desquels je ferai enfin silence. Nous les devons à Héraclite, eux aussi :

« Ce monde-ci, le même pour tous les êtres, aucun des dieux, ni des hommes ne l'a créé ; mais il a toujours été et il est, et il sera un feu toujours vivant, s'allumant avec mesure et s'éteignant avec mesure. »

Aubin Robert

Sommaire

I
Vivre, pleinement

Baser sa vie sur la phase

Affalée dans son lit
Cigarette à la bouche
Elle pense à rien, elle fuit
C'est pas qu'elle soit farouche

Mais elle se méfie
De ce monde et c'est pas
Qu'elle en ait peur
Mais elle sait où ça va

Baser sa vie sur la phase
Y'a un moment où ça te blase
Baser sa vie sur la phase
Baser sa vie sur la phase

Tentation parfois trop forte
Difficile de résister
De rester seule et tranquille
Plutôt qu'aller se défoncer

Les after qui n'en finissent plus
Les cernes et le teint terne
Les blablabla continus
Conversations décousues

Baser sa vie sur la phase
Y'a un moment où ça te blase
Baser sa vie sur la phase
Baser sa vie sur la phase

Quand s'estompent ce qui trompe
Les sens et les ressentis
L'hypocrisie de ces scènes
Leur tristesse presque obscène

Apparaît foudroyante
Je me demande alors
Pourquoi m'aimante encore
Cette déperdition

Baser sa vie la phase
Ya un moment où ça te blase
Baser sa vie sur la phase
Baser sa vie sur la phase

Blanc comme la poudre

Une nuit blanche comme la poudre
Et éclatante comme la foudre
De trajectoires en digressions
De SMS en ultrasons

À la poursuite de sensations
Chemin parsemé d'illusions
Ce sentiment d'avoir atteint
La lueur, mais d'en être loin

Brouillard émotionnel

J'ai les nerfs qui craquent
Et la tête en vrac
Plus rien ne va plus
J'me sens mal dans la rue

Pourtant autour de moi
Les passants font comme si
Il était normal
Que la vie fasse mal

Mais moi chuis pas comme ça
Quand c'est gris, ça va pas
Dans mon esprit brouillé
L'envie d'me défoncer

M'rattrape à 100 à l'heure
Et avec elle la peur
D'oublier qu'il existe
Des moments de bonheur

Cloisonner

Un tourbillon brumeux
Mon esprit en otage
Les vibrations du feu
La rudesse de la rage

Tension extrême et bouillonnante
Mon corps vibre mais jamais ne chante
Comme s'il cloisonnait
Je vis sans respirer

Pour relâcher je consomme
Pour oublier je cloisonne
Solutions temporaires
Substituts éphémères

Car tout revient à la charge
Et petit à petit s'efface
Je peux décider d'être en marge
Ou tenter de faire face

Conscience de l'inconscience

M'entourer de mystère pour plaire
Me mettre la tête à l'envers
Pour me sentir plus sûre de moi
Oublier ma timidité

Surfer sur la drogue, m'oublier
Cette sensation de toute puissance
Qui donne des ailes, pour redescendre
De moi-même être dégoûtée

Recommencer ce même schéma
En continu et n'être pas
En adéquation avec mes valeurs
Pour encore finir en pleurs

Être impuissante mais consciente
Que je n'arrive pas à gérer
Une consommation modérée
J'aime l'ardeur de l'excès

Dissociation

Je me sens dissociée
Comme si mon corps était là
Mais mon esprit ailleurs
Mon cœur exempt d'émotions

Le sentiment de vivre
Sur une autre fréquence
Celle de la latence
Comme dans certains rêves

Où j'assiste à des évènements
Et reste spectatrice
Non figée par la peur
Mais par mes pensées qui glissent

Sur tout ce qui m'entoure
Les voix me paraissent lointaines
Comme si j'étais
Sous l'emprise d'une bulle

Parfois je tente de me débattre
Et de la faire éclater
D'autres cesse de lutter
Et me laisse porter

Par cette impression
Que jamais rien ne m'atteindra
Choisis la facilité
Plutôt que le combat des sens

Éphéméride

On dit que l'espoir fait vivre
Je n'en sais rien
Mais je sais que l'alcool rend ivre
Et souvent n'aboutit à rien

Fait ressortir tous nos travers
Nos malheurs et nos désespoirs
Paradis artificiel
Le bonheur est intemporel

Plus furtif qu'une étoile filante
Plus vibrant qu'un oiseau qui chante
Éphémère, et c'est ce qui fait
Qu'on le frôle sans jamais le toucher

La vérité universelle
N'existe pas
Entendre ou écouter
Voir ou regarder
Agir ou se lamenter
Quel est le faux
Quel est le vrai

Tout est question de point de vue
Rien n'est acquis, et rien n'est dû
Chacun voit dans les nuages
Ce qu'il projette, ce qu'il image

L'esprit a cette capacité
D'abstraction
Prendre garde à ne pas se perdre
Dans l'illusion

L'immuable n'existe pas
La marée monte, la lune décroît
Des avions flottent dans le ciel
Je ne sais ce qui est réel

La « réalité »

La projection de notre esprit
On voit ce que l'on veut voir
L'enfer ou le paradis
L'espoir ou le désespoir

Ce qu'on appelle réalité
N'est qu'un million de particules
Que l'on peut aisément modifier
Sous l'emprise de molécules

Que l'on appelle communément
Drogues hallucinogènes
Mais que je préfère nommer
Portes vers l'immensité

La tête dans le brouillard

La tête dans le brouillard
Je me réveille au café noir
Couleur de mes cernes teintées
Par l'alcool et les cachets

Des bribes de souvenirs
Me reviennent au fil des heures
Réveil flou et brumeux
Il pleut dans mon esprit

La nuit fut longue et intense
Danse des corps et des cœurs
Nonchalante incandescente
Nourrie par l'insouciance

Enveloppée de mes draps
Je profite de la volupté
De mes sens engourdis
Et du soleil qui sourit

En me levant je m'étire
Tire sur une cigarette
Mon corps est cotonneux
Et mes pensées virevoltent

Vers cet autre univers
Qu'est le monde de la nuit
Ce monde empreint de mystère
Ce monde où tout est permis

Latence

Huit heures du mat' les yeux cernés
Le maquillage qui a coulé
Tu rentres chez toi bien abîmée
Encore une putain de soirée

Un marathon de drogue et de bière
Une tonne de mégots par terre
Des pailles et des pochons vides
En quête d'un bonheur insipide

Comme un sentiment de latence
Enveloppe mon existence

Tu cherches les lignes directrices
Mais spectatrice tu assistes
La bataille de ta volonté
Tu perds et la drogue a gagné

Le cœur qui bat à cent à l'heure
Tu écoutes Lispector et tu pleures
Le ciel est gris, les gens sont moches
Mais dans l'église sonnent les cloches

Comme un sentiment de latence
Enveloppe mon existence

Café calva le soleil brille
Et fait ressortir nos pupilles
Dilatées à en exploser
Derrière des lunettes teintées

Une sinistre table basse
Du son ambiant, d'la came ça trace
Un ange passe, il est morose
Il faut faire gaffe, gérer sa dose

Comme un sentiment de latence
Enveloppe mon existence

Le poids

Après une longue soirée
Je m'enfonce sous la couette
L'idée que je me fais
Des nuages dans la tête

Sur une autre planète
Une comète je m'envole
La douceur du coton
Je m'enfonce et je fonds

Ne ploie plus sous le poids
Loin de la déchéance
De toutes les substances
Et leur hypocrisie

Je rêve et je ne sais
Que tout cela n'est vrai
Et au fond peu importe
Si ça m'ouvre une porte

Les idées fusent

Les idées fusent et je m'amuse
À les faire tourbillonner
Souvent ça m'use
Je voudrais les coordonner

Je suis perdue dans ma tête
Comment en sortir je bouillonne
C'est oppressant, la cloche sonne
Remettre les pieds sur terre

Quand c'est ainsi parfois j'oublie
Les valeurs auxquelles je tiens
Par mes actes blessent des cœurs
Et le mien

Mais j'aime à perdre le contrôle
Et laisser les substances
Accaparer mon acuité
Oublier la douleur

Hypocrisie de la défonce
Qui trompe les sens et enfonce

Fuite de la réalité
Qui revient me frapper
Encore plus fort quand je m'extirpe
De la fourberie des produits

Dont l'effet ne fait que passer
Comme un nuage volage
Quand ils commencent à s'évincer
Je me retrouve en cage

Dans mon esprit et mon corps
Oppressés
Retour de la lucidité
Renaissance de la conscience

Hypocrisie de la défonce
Qui trompe les sens et enfonce

Nuit vibrante

J'ai les idées qui pétillent
Devant moi la nuit scintille
Si je me concentre je peux
Voir ton profond regard bleu

Qui me fixe intensément
Tes yeux brillent comme des diamants
Tes pupilles, comme des billes
Dilatées par l'extasy

Dans la main une canette
Dans l'autre une cigarette
Tu avances en titubant
Je t'entends grincer des dents

La lumière des lampadaires
Et des phares de voiture
Rendent une étrange atmosphère
À cette soirée qui perdure

Nuit vibrante, électrique
Insouciante, élastique
Oublier en dansant
S'évader en s'enivrant

Le silence interrompu
Par un chauffard qui klaxonne
Et par tes mots qui résonnent
J'imagine que tu es nu

À gauche il y a des prés
Devant, la route nationale
Et ta longue silhouette pâle
Qui trébuche sans s'arrêter

Ça fait des heures qu'on avance
Au gré des routes de campagne
Dans cette drôle d'ambiance
De nos esprits qui se fanent

D'avoir tapé toute la nuit
D'avoir bu et d'avoir ri
De vouloir faire perdurer
Un plaisir qui est fini

Nuit vibrante, électrique
Insouciante, élastique
Oublier en dansant
S'évader en s'enivrant

J'ai des flashs de souvenirs
De gens qui dansent et s'embrassent
Et je me revois te dire
Que je suis lasse, que ça m'agace

Tous ces gens qui ont trop bu
La musique trop forte
On part en claquant la porte
Nous revoilà dans la rue

Maintenant main dans la main
On cherche notre chemin
Plus qu'une seule idée en tête
Enfouir nos corps sous la couette

Nuit vibrante, électrique
Insouciante, élastique
Oublier en dansant
S'évader en s'enivrant

Quand la nuit se dissipe

Volutes de fumée
Sur fond de ciel turquoise
Son petit déhanché
Et ses manières sournoises

Elle cherche, et elle sait
Vraiment bien y faire
Ce faux air détaché
Tout ce qu'il faut pour plaire

Regard plein de malice
Tu la croises et tu glisses
Elle t'attrape, te repousse
Met dans sa bouche ton pouce

Tu surfes sur la musique
Les vibrations cosmiques
La manière dont elle danse
Ses fesses, qui balancent

Mais elle cherche, et tu sais
Qu'elle sait bien y faire
Méfie-toi de son jeu
Surveille tes arrières

Flottant dans le cosmos
Interplanétaire
Tu divagues et tu vogues
Mais garde les pieds sur terre

C'est pas tellement la drogue
Mais l'alchimie physique
De tous ces gens paumés
Unis par la musique

Et ce moment étrange
Où la nuit se dissipe
Où le soleil orange
Te rappelle que tu trip

Turn up

Je me vide la tête
J'oublie ce qui m'entoure
Je me défonce la nuit
Pour oublier le jour

Je turn up et m'enlise
Divague et m'alcoolise
Embrasse tout le monde
Pour que mes pensées fondent

Je me lâche déchaînée
Sur le dancefloor bondé
Je danse les sensations
La musique et ses vibrations

Couverte de paillettes
Je brille et je reflète
L'insouciante énergie
Qui tous nous envahie

Les basses me font monter
Je commence à planer
L'amour universel
Qui me donne des ailes

Je croise des regards
Et je frôle des corps
Je flirte avec l'extase
Je me sens hors du temps

Mes gestes ne sont portés
Que par la volonté
De vouloir oublier
Ce qu'on appelle réalité

Le ballet de la foule
L'insouciance qui coule
L'osmose décuplée
Par les produits et leurs effets

Je voudrais ressentir
Pour toujours ce plaisir
De communion et de désir
D'extase pour assouvir

Ma soif d'immensité
Mon envie de me libérer
N'avoir aucune accroche
Ne plus entendre sonner les cloches

II
À la folie, passionnément

Avalanche

Le temps est bon
Le ciel est bleu
Mais au plus profond de mon être
Il pleut

Je sais que tout est éphémère
Que rien ne dure, rien ne se perd
Mais la vie comme une avalanche
Empêche mon cœur de s'épancher

Je crois au bonheur, à la joie
Mais quand s'écroulent autour de moi
Les fondations, les sensations
M'envahissent et je glisse

Encore, encore et encore

Je me heurte contre ton corps
Encore, encore et encore
Ma langue bute contre tes dents
C'est intense, c'est violent

Ma bouche fusionne avec la tienne
Je ne ressens aucune gêne
Alors que depuis la rue
Les gens nous devinent nus

Notre sueur se mélange
Le désir nous démange
Nos soupirs s'entremêlent
Et nos pensées se démêlent

Nos vêtements dans la pièce
Éparpillés et déchirés
Tous nos membres qui acquiescent
Qui répondent avec souplesse

Tes mains qui sculptent mon corps
Encore, encore et encore
Qui m'attrapent puis me repoussent
À m'en faire perdre le souffle

Nos halètements éperdus
Qui vibrent sur nos peaux nues
Tes cheveux qui frôlent mes seins
Je suis à toi et tu es mien

Tes dents qui cognent les miennes
Nos regards hagards épars
Intense nuit diluvienne
Alchimie rare du hasard

Le contact de ta peau
Qui frémit d'allégresse
Et la chaleur des mots
Que tu chuchotes avec tendresse

Tu me prends toujours plus fort
Encore, encore et encore
Je me perds dans tes soupirs
Je me noie dans le désir

Quand usés de s'être aimés
Nos deux corps se détachent
Épuisés par nos baisers
Nos efforts se relâchent

Ne résonnent plus dans la pièce
Que nos halètements
Le murmure de nos caresses
Et le frissonnement du vent

Contre toi je m'endors
Encore, encore et encore
J'oublie tout ce qui m'entoure
La vie, la nuit, le bruit, le jour

Plaisirs irisés

Quand tu m'embrasses, tu m'enlaces, je voudrais
que ça ne cesse
Tes caresses, sur mes fesses, que jamais ne disparaissent
Ces plaisirs irisés
Embrasés par tes baisers
L'essence des sens
Sensation d'être insensés

Insuffler la tendresse

Ta bouche contre la mienne
Tes mains qui me touchent
S'emmêlent et se promènent
Me transportent et parviennent

À incuber le souffle
Qu'insuffle la tendresse
Maîtresse de la volupté
Duchesse de l'allégresse

Semer les graines de l'amour

C'est extrême et l'on sème
Les graines de notre histoire
En attendant qu'elle germe
C'est intense et l'on s'aime

On tâtonne au hasard
Et il nous le rend bien
Chaque nuit dans le noir
Ton corps contre le mien

Contours

Des baisers
Légers
L'amour et ses contours
L'envie, et ses détours
La vie et son parcours

Comment déceler
La faille
Alors qu'il est bien plus facile
De se cacher derrière les écailles

Que nous n'avons pas mais nous créons
Imaginant ainsi, nous protéger

Le vrai refuge lorsque délugent
Les sensations
Trop fortes
Est de ne pas fermer la porte
Et partager, communiquer

Évincer l'impulsivité

Arrêter de se réfugier
Dans ce que l'on pense être vrai
Toujours chacun croira savoir
Ou du moins voudra-t-il y croire

Mais existe-t-il
Un fil qui ne s'emmêle pas ?

D'ailleurs, comment affirmer
Que l'un dit faux, que l'autre dit vrai ?
Il faut apprendre à accepter
Qu'il n'y a pas de vérité

Le tort ou la raison
Sont comme les saisons
Fluctuantes et changeantes
Rien n'est ancré

Tout évolue, meurt et renaît

Nous encaissons sans réfléchir
Nous mentons pour ne pas subir
Mais à tout mettre de côté
À voir, sans regarder
À entendre sans écouter
L'on finit par oublier
Que la vie est un tourbillon

Mais que serait-elle
Sans ses scissions ?

Mettre les choses au clair
Même lorsqu'il fait sombre
Si le ciel tonne et vrombit
C'est simplement pour exulter
La densité

Sans monter comment redescendre
L'absence permet de ressentir
La mélancolie
Des souvenirs

Rien ne dure mais tout perdure

Je croyais que ça durerait toujours
Que rien ne pourrait scinder notre amour

Mais ainsi va la vie

Rien ne dure, mais tout perdure
Toujours restera gravée
L'osmose qui nous a liés

Je n'en sais rien et je m'en fous

Je bois tes paroles
Et dans ta voix je m'envole
Ton sourire m'emporte où
Je n'en sais rien et je m'en fous

Dans un lieu oublié
Ou qui jamais n'a existé
Bien loin des grises fumées
De nos métropoles surchargées

Ça m'agace

Quand tu dis ça, ça m'agace
Quand tu fais ça, ça me tracasse
Ton côté complètement fracasse
Par moments, ça me lasse

Mais c'est aussi ce qui me plaît
Ce côté complètement jeté
Je-m'en-foutisme permanent
Putain ce que tu peux être chiant

Quand tu atteins la limite
Tu me regardes de tes grands yeux
Et dans eux je me précipite
C'est toi qui as gagné le jeu

Pourtant tu réussis toujours
Tu as toujours d'avance un tour
Pour me faire retomber
Dans tes bras fins, mais musclés

Tu me rends folle mais n'est-ce pas
Ce que je recherche en toi
Retombe toujours dans tes bras
Me retrouve toujours dans tes draps

III
La tête à l'envers, mais les pieds sur terre

Choquer

J'ai envie de prendre les voiles
Ivre de me foutre à poil
Choquer tous ces gens bien-pensants
Les pousser à se dire pourquoi

Pour rien, pour tout, pour le plaisir
D'oser offrir ce qui ne ment
De la chair et des sentiments
Et observer leurs réactions

Regard insistant qui se cache
Bien trop peureux pour assumer
Regard fuyant trop lâche
Pour accepter ses pensées

Dans ces coups d'œil furtifs
Pourquoi autant de retenue
N'est-il pas naturel
D'observer la beauté d'un corps
Et l'imaginer nu

Dompter

Songe et plonge
N'oublie pas mais éponge
Transperce et digresse
Transgresse

Il ne faut jamais
Suis ce que dit ton âme
Le rien n'existe pas
Poursuis
L'éclat

Conquiers ta volonté
Ne te laisse dompter
Par les tourments incessants
Que suscite le doute

Aie foi
En toi
Et n'oublie pas
L'eau trouble du torrent
Limpide quand il redevient source

Électron libre

Tel un électron libre
Je parcours l'existence
Et brûle d'impatience
D'entrer en collision

Faire des étincelles
Et me brûler les ailes
Suivre mes impulsions
Comme l'on respire

Agir non selon la norme
Mais selon mes désirs
Les faire prendre forme
Les laisser m'envahir

Pourtant je sais que cela mène
À des sentiers périlleux
Qu'il ne faut me laisser aller
À ce jeu dangereux

Résister aux tentations
Pour pouvoir les savourer
Ne pas toujours brûler du feu
De l'impulsivité

Graver la grâce

L'absolu est illusion
Penser plutôt à l'attraction
Tenter de ne faire abstraction
Et prendre garde aux chimères

Ne pas se perdre pour perdurer
Ni se voiler dans l'oubli
Pleurer sans se morfondre
L'ombre n'est que de passage

Tempérer et s'écouter
Pour ne pas se voiler la face
Car existe la volupté
Je voudrais graver la grâce

Intensité

Je voudrais parfois m'effacer
Évincer le flot de mes pensées
Faire corps avec ce qui m'entoure
Délester le poids des idées

Qui me percent et qui me traversent
Sans cesse me pressent et m'empêchent
De détendre mon corps éreinté
Par la charge de mes sens exaltés

Je m'exaspère et désespère
De trouver un sens à cette vie
Quand tout semble aller de travers
Sombrer dans un gouffre infini

Toutefois je garde courage
Dans chaque naufrage reste un mirage
Dans mon cœur subsiste la lueur
Du bonheur et de sa douceur

Il est facile de se complaire
Dans la tristesse mais s'en extraire
J'aime à me rappeler que
Par-delà les nuages, le ciel est bleu

Aussi, quand je me sens seule
Me souvenir qu'autour de moi
Milles existences se déploient
Pour garder pied sur le réel

Me perdre dans la diversité
De la nature qui me murmure
Que oui, cette vie est insensée
Mais qu'elle m'offre son armure

Je voudrais apprendre à faire face
À tolérer les latences
Ne plus chercher l'intensité
Pour me sentir exister

Ne plus subir mais ne pas fuir
Stop aux souffrances, aux déchirures
Non évincer mais rebondir
Pour ne plus ployer sous les blessures

Comme le roseau qui perdure
En se pliant sous le vent
Se laisser choir pour résister
Et relâcher pour subsister

La mélancolie

J'aime à me laisser aller
À la mélancolie
Plonger dans le passé
Penser à ce qui passe

Bercée par cet état
Proche de la torpeur
Laisser couler les heures
Pour retrouver l'éclat

La « norme »

On m'a souvent dit
Que j'étais spéciale
Mais qu'est-ce que la norme
Regardez les étoiles

On pourrait les croire similaires
D'ailleurs on les voit ainsi
Mais elles sont comme tout sur terre
À leur manière, particulières

Arrêtez de vouloir ranger
Dans des cases de tout cloisonner
Tout le monde est objectif
Mais chaque avis est subjectif

Les cloches du firmament

Dans mon cœur se bousculent
Des sentiments tiraillés
L'attrait de l'envol
L'envie d'exister

Un nuage de douceur
M'enveloppe et je pleure
Je m'abandonne en moi résonnent
Les cloches du firmament

Les mots

Tu sais quand tu te répètes
Une phrase un mot dans la tête
Et qu'il en perd alors tout sens
Tu ne sais plus ce que tu penses

Ce qui est vrai, ce qui est faux
Mais au fond que veulent dire ces mots
Simples lettres alignées
Dans ton esprit brouillé

Quand subsiste le vide

Quand subsiste le vide
Que rien ne vient combler
Que tout semble insipide
Les larmes ne coulent pas

Comment se rappeler
Qu'il existe des temps
Où les sentiments brûlent
Et la vie irradie

Se souvenir est difficile
Les souvenirs ne sont dociles
Paraissent lointaines et floues
Les joies

Elles sont enfouies quelque part
Il peut suffire de peu
Creuser dans sa mémoire
Pour ne se laisser choir

Savoir se contenter

La mort fait partie de la vie
Comme le rire, comme les cris
Pour l'apprécier à sa valeur
Il faut en payer le prix

De déceptions en espoirs
Être parfois seul dans le noir
Et tâtonner sans trop savoir
Où nous mènera le destin

Mais il ne faut se reposer
Sur lui seul car il ne pourrait
Accorder tout ce que l'on souhaite
Il faut savoir de soi donner

D'ailleurs quel serait l'intérêt
De tout posséder car après
Qu'aurait-on d'autre à désirer
Toujours plus et jamais assez

Stabilité

Je cherche sans y parvenir
Une stabilité
Mais ce serait mentir
De dire que je déploie

Mes actes en ce sens
Car j'ai toujours été
Portée par l'attraction
Passion de l'intensité

Pourtant je voudrais pouvoir
Me poser sans bouillonner
Ne pas toujours vouloir
Remplir le vide, mais l'accepter

Avoir plus de patience
Accepter les latences
Laisser mon esprit flotter
Sans l'attente constante
De l'après

Vibrations

Des sons qui résonnent, aigus
Dans une pièce contiguë
La sueur qui colle quand décollent
Les folles notes qui s'envolent

Les corps qui rebondissent
Contre l'éclat extatique
Que répand la musique
Sur nos esprits qui se hissent

Pour englober l'immensité
Qui suinte et tente de s'infiltrer
Dans la complainte de notre danse
Chaque geste est une évidence

Un regard furtif qui approuve
Un baiser hâtif qui se love
À nos corps qui se meuvent
Et se déploient sur le flot

Des énergies alchimiques
Qui émulsent, électriques
Et sans cesse rebondissent
Se tissent sur l'intensité

Vivre, pleinement

J'ai l'impression de toujours
Marcher sur du verglas
Perpétuellement à l'affût
De ce qui sous moi ploiera

J'aimerais me sentir légère
Fière de ce que je revendique
Ne plus me mettre la tête à l'envers
Pour ressentir que j'existe

Avoir confiance en ce que je ressens
Ne plus me détruire ni me mentir
Ne plus me couper, mais ressentir
Autrement

L'intensité que j'aime à vivre
Sans avoir à oublier
L'ivresse et ce qu'elle m'inspire
Vivre, pleinement

Zeste céleste

Un zeste céleste
Se pose sur mon corps
Empreinte par son charme
Sans cesse je déleste

Les charges de mon âme
Tourmentée
Qui jamais ne s'alarme
Des sensations insensées

La brûlure s'estompe
Je déroge au déluge
De ma conscience qui juge
Mes actes avec violence

Appesantie j'atterris
Et m'interroge sur le mystère
Qu'est la présence sur terre
De mon être dissocié

Par la pluralité
Des sens qui m'envahissent
Le désarroi des pleurs
Et l'ardeur de la joie

IV
L'essence de la vie

La mer

Les vagues translucides et la brise légère
Le doux embrun marin et les parfums divers
La perception au loin d'horizons inconnus
La résonance éparse d'un écho diffus

L'incandescence timide d'un fin quartier de lune
Le charme négligé qu'elle jette sur la nuit
Les gouttes imperceptibles d'une légère pluie
Et enfin disparaît l'amer goût d'infortune

La mer cristalline par sa fluidité
Intensifie l'instant et sa légèreté
Le brouillard enveloppe de sa tendre fraîcheur
Les lumières d'argent qui scintillent à cette heure

Et plus qu'elle ne pourrait voiler le paysage
La brume l'amplifie réveillant au passage
Le sentiment croissant de la lucidité
Et laisse alors la place à la tranquillité

La nuit s'épanche

Les dunes s'allument
Les collines s'illuminent
La pluie est d'or
Et le vent de cristal

Les étoiles sous le voile
D'un brouillard cotonneux
Laissent transparaître le charme
De la nuit qui s'épanche

S'étire et enveloppe
De ses bras langoureux
Le paysage diurne
Embelli par les cieux

Les astres dansent

Je nage dans un océan d'étoiles
Et le ciel limpide dévoile
Ses profondeurs insoupçonnées
Je me promène, me laisse aller

Je glisse de rêve en rêve
Le vent léger me soulève
Vers le bleu miroitant d'éclat
La nuit me prend dans ses bras

Elle est douce comme une larme
Elle est poignante de charme
Délicieuse et réconfortante
De sa voix suave elle me chante

Les mélodies de Cassiopée
Avec grâce et légèreté
D'un timbre clair et cristallin
Qui me dessine un chemin

Je le suis et arrive alors
Dans un décor d'azure et d'or
Qui scintille de mille feux
C'est le charme infini des cieux

Les astres dansent, ils sont en transe
Ils brillent et ils se balancent
Le ballet de la volupté
Pur comme une goutte de rosée

Je nage dans un océan d'étoiles
Et le ciel limpide dévoile
Ses profondeurs insoupçonnées
Je me promène, me laisse aller

Vers des plaisirs insoupçonnés
Qui font éclore sur mon visage
Un sourire béat éclairé
Par l'éclat soudain d'un orage

Qui rend l'atmosphère électrique
Je ressens l'énergie cosmique
La puissance des vibrations
La force poignante qu'elles ont

Elles me propulsent en avant
Et décuplent ma volonté
D'aller vers l'avant
Ne plus me retourner

Le fin croissant de la lune
Sur lequel j'aimerais m'étendre
Ce délicat éclat nocturne
Me dit de ne plus attendre

Pour rejoindre ce bijou céleste
Qu'est l'atmosphère interstellaire
Me dit de lâcher du leste
Pour rejoindre l'univers

L'océan du ciel

Un avion qui décolle
Ma tête qui s'envole
Le rejoint par-delà
Les nuages et les villes

Je me sens attirée
Par la vibrante immensité
De ces zones inconnues
Je voudrais voler nue

Je croiserais des rapaces
Des canards et des goélands
Aucune distinction de race
Dans l'océan du ciel

Percevoir

Percevoir du noir de la nuit
Ce qu'elle laisse entrevoir
Son unité indéfinie
Rehaussée par la lune

Indocile astre qui miroite
Sur la splendeur nocturne
Fin filament qui se dilate
Pour laisser place au jour

Les ombres se chamaillent
Les oiseaux se réveillent et piaillent
Le ciel quitte le sommeil
Le soleil se réveille

Songes

J'erre de rêves en rêvent
Mes pensées tanguent et divergent
Je flotte sur le navire
Du sommeil

Bercée par les astres et les bruits
De la nature qui scintille
Perlent sous mes paupières
D'incandescentes lumières

Un homme vole, il a les ailes
Et le plumage d'un albatros
Un orage tonne et résonne
Les mélodies du ciel

Quoi qu'il arrive advient toujours
Le repos laissant place aux songes
Qui eux-mêmes épongent
Les tourments pour faire parvenir

Un horizon plus lumineux
Le temps passe et toujours seront
L'éclat et le bruit des cieux
Les nuages et le bleu du ciel

Ballet automnal

Souffle du vent qui soupire
Nuits qui s'allongent et s'étirent
Amertume de l'automne
Et des orages qui tonnent

Les érables rouges et d'or
La pluie qui perle et scintille
Glisse sur le décor
La nuit trépasse et s'immisce

Dans les rues, pas un chat
L'hiver arrive à grands pas
Le ballet des feuilles mortes
Et des arbres qui frémissent

Tourbillon magique

La lune est pleine
On dirait qu'elle se baigne
Cachée par le voile
D'un océan d'étoiles

Dans l'espace infini
Bleu profond de la nuit
Je me perds et transperce
Je me perds puis traverse

Ce tourbillon magique
Qu'est le ciel éclairé
Par ces astres mystiques
Lucioles d'été

Qu'il est bon de plonger
Et de tout oublier
L'espace d'un instant
Oublier le présent

Le ciel te fait cadeau
D'une étoile filante
Ton rêve le plus beau
Serait que se présente

La possibilité
De pouvoir explorer
Les astres de plus près
Pouvoir t'en immerger

Les rayons du soleil
Pointent le bout de leur nez
Le ciel se réveille
Effaçant la rosée

Les nuances opales
Et la beauté fatale
La ligne d'horizon
La chanson de l'éclat

Le parfum de la mousse

Les ombres des feuillages
Sur ton corps dénudé
La douceur des nuages,
Ta langue et tes baisers

Les anémones sauvages
Le parfum de la mousse
La brume et ton visage,
J'ai envie de ta mousse

Le ruissellement de l'eau
Et le chant des oiseaux
Les abeilles qui bourdonnent
Les arbres qui bourgeonnent

Ton rire cristallin
Et léger, qui résonne
Comme l'espoir soudain
Des carillons qui sonnent

Entourés par le ciel
Les montagnes et les présences
Les lézards, les serpents
Et les biches aux aguets

Une fourmi furtive
Qui glisse vers toi, hâtive
Ses pattes qui te frôlent
Légèrement l'épaule

J'embrasse l'horizon
Le printemps est partout
Tes baisers sur mon coup
M'emplissent de frissons

La brise qui nous caresse
Ta voix et la promesse
Des arbres qui nous murmurent
D'épouser la nature

Témoignage de Daniel Dulys

C'est un jour de printemps que Luce est arrivée à Béziers. Son périple et son amour l'avaient tous deux portée jusqu'à la cité biterroise, dans une promesse folle de futur et de bonheur. Il n'en fut rien. Enfin, pas exactement comme cela lui avait été présenté. Pas complètement. Pas totalement. Qu'importe !

Lorsqu'elle poussa la porte du CAARUD[1], la foule des grands jours était présente. Le centre – géré par l'association AIDES – y reçoit des publics touchés et concernés par les risques de contamination au VIH/SIDA et aux hépatites. Ce sont majoritairement des personnes consommatrices de produits psychoactifs qui y viennent mais pas seulement : les HSH[2], les travailleur-ses du sexe, les migrants en provenance de régions à forte pandémie et les personnes anciennement privées de liberté le sont

---

1 Centre d'accueil et d'accompagnement à la réduction pour – et avec – les usagers de drogues.
2 Homme ayant des relations sexuelles avec des hommes.

également. Elles viennent pour s'y poser, faire des démarches administratives et avoir un peu de convivialité et bien sûr, récupérer du matériel de réduction des risques de contamination.

Luce y avait sa place !

De son regard clair, Luce avait scanné le lieu et les personnes présentes. Un balayage panoramique lui avait suffi pour identifier à la fois les pertinences et l'indéfinissable. Lors de son entretien d'inclusion dans le dispositif, son parcours se raconta, factuellement, sans ambages puis, soudainement, en une pulsion, se récita en une succession de poèmes, dont elle était l'auteure, plus sinueux de sa pensée et de son âme, avec éclat.

Luce l'indomptable était parfois domptée par des voyages artificiels dont elle se défaisait par ses écrits lucides et libérateurs. Son instinct vital reprenait le dessus à travers ses odes à la vie. Son identité de poétesse était son salut.

Un, puis deux, puis quatre poèmes furent lus, par cœur, sans interruption, en un seul souffle, « a capela » dirais-je, le regard figé de la concentration, fixé sur un point infini, au-delà du mur, au-delà d'elle-même. C'était sublime. Le cahier qu'elle me montra en regorgeait. Je n'en sais plus le nombre. Une vingtaine, une quarantaine peut-être ? Il y avait de la matière. La production était constante. Cela témoignait d'un point d'ancrage personnel qu'elle s'était créé. Il fallait exposer !

Le lundi 08 mars 2021, l'exposition s'ouvrit à l'occasion de la Journée internationale du droit des femmes, en un vernissage simple et joyeux. Trente-deux poèmes y furent exposés, classés en trois thèmes : nature, conso et vie. Le tout illustré par des photos et des collages que Luce faisait, en un cheminement formel en forme de point d'ironie.

Cette exposition a sans doute marqué le début d'une nouvelle aventure pour Luce. La concrétisation et l'exposition spatiale de cette intimité à autrui s'imposaient comme une évidence. Cette présente publication – rendre public – est sans doute précédée par cette première monstration. Nous sommes fiers d'y avoir contribué et d'avoir eu sa confiance.

Nous l'en remercions.

**Fiona, Élise, Philippe
et Daniel du CAARUD, de AIDES à Béziers**

Imprimé en Allemagne
Achevé d'imprimer en mai 2022
Dépôt légal : mai 2022

Pour

Le Lys Bleu Éditions
40, rue du Louvre
75001 Paris